Traducción: Frank Schleper

Título original: *Wenn Anna Angst hat...*
© Editorial Jungbrunnen, Viena - Múnich, 2002
© De esta edición: Editorial Luis Vives, 2009
Carretera de Madrid, km. 315,700
50012 Zaragoza
Teléfono: 913 344 883
www.edelvives.es

ISBN: 978-84-263-6858-4
Depósito legal: Z. 4653-08

 Talleres Gráficos Edelvives (50012 Zaragoza)
Certificados ISO 9001

Impreso en España

Heinz Janisch
Ilustraciones de Barbara Jung

Cuando Ana
tiene
miedo

EDELVIVES

Cuando Ana tiene miedo,
llama a sus amigos para que la protejan.

Llama al gigante gigantesco que nunca duerme.

Llama a los 33 caballeros de la Orden

29

de la Cáscara de Nuez.

Llama al dragón verde

que marea a todos con sus vueltas.

Llama a la pluma voladora

Ja
jo
ji ji

Ji jaJ

jajaja

Ji

Ji

que hace unas cosquillas espantosas.

Llama al volcán incandescente

que atrae a todos a su cráter.

Llama al pintor de fantasmas

que pinta de colores a los fantasmas blancos.

Llama al gato de la suerte

que contagia a todos su placidez.

Llama al pájaro de la luz
que lo ilumina todo

con un solo movimiento de sus alas.

Llama a la caudalosa
y rugiente catarata

que refresca su cara.

Llama al león cariñoso

que adormece a todos con sus bostezos.

Y, finalmente, se llama a sí misma y dice bien alto:

—¡Ana no tiene miedo de nada!

Luego Ana se duerme.
Y todos sus amigos se duermen con ella.

Todos menos
el gigante gigantesco,
que se queda vigilando.